Des lieux de l'histoire

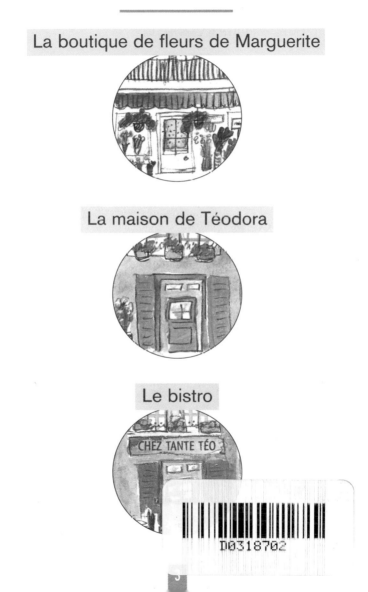

La boutique de fleurs de Marguerite

La maison de Téodora

Le bistro

CHEZ TANTE TÉO

D0318702

Un nom pas comme les autres

Je m'appelle Rose. Cela n'a rien d'étonnant, car ma mère se nomme Marguerite. Elle est la plus belle et la plus grande fleuriste du monde. Notre maison est toujours la plus fleurie du village.

Je viens d'avoir cinq ans et je vais être opérée au cœur. Même si ma santé sera toujours fragile, je veux devenir une grande ballerine. Je suis très têtue. Je répète tout le temps :

— Mon rêve va se réaliser.

À l'hôpital, ma mère m'apporte chaque jour de nouvelles fleurs. Comme c'est chouette d'avoir une maman fleuriste!

Je connais les noms de nombreuses fleurs: la tulipe, l'iris, l'orchidée, le chrysanthème… J'adore apprendre des mots difficiles.

Chapitre 2
Une fleur
pas comme les autres

L'été suivant, en revenant d'une promenade à vélo, j'aperçois une fleur que je ne connais pas. Cette fleur est d'un jaune éclatant. Ma mère me dit que c'est un pissenlit, appelé aussi *dent-de-lion*. Je trouve ce nom très amusant.

Ma mère me montre des photos et m'apprend que le pissenlit est une mauvaise herbe très tenace. Comme je suis très curieuse, je fouille dans les livres de maman. Je veux savoir pourquoi une fleur aussi jolie n'est pas égale aux autres.

En regardant attentivement autour de moi, je découvre que les pissen-lits poussent un peu partout. J'en vois dans les crevasses du sentier qui mène à l'école. J'en vois sous le balcon de Martha, ma gardienne. J'en vois aussi entre les pierres près de la rivière et entre les rails du chemin de fer.

C'est comme si le pissenlit voulait prouver au monde entier qu'il peut pousser n'importe où.

J'aime de plus en plus cette fleur. Elle me ressemble. Elle est aussi têtue que moi. Ma santé n'est peut-être pas assez bonne pour que je puisse faire du ballet, mais je n'ai pas dit encore mon dernier mot.

Pour faire une surprise à ma mère, je dépose un énorme bouquet de pissenlits dans la vitrine de sa boutique. Ma fleuriste préférée ne raffole vraiment pas de cette décoration. Elle dit que personne n'achètera des pissenlits. Moi, je continue de penser qu'on devrait offrir aux clients ces belles fleurs jaunes.

Chapitre 3
Une journée pas comme les autres

Ce matin, je lis l'histoire du ballet *Casse-Noisette*. Je m'imagine dans le rôle de Clara, la petite héroïne.

Je sors de mon rêve lorsque maman m'apprend qu'elle est la gagnante d'un concours horticole.

Ma mère est partie cet avant-midi pour Québec, où elle va recevoir son prix. C'est Martha, sa grande amie, qui me garde. Martha est très drôle avec ses nombreux déguisements.

En fin d'après-midi, Martha vient me chercher à l'école. Elle a les yeux rougis et elle renifle. Elle me tend un bouquet de pissenlits et une carte. Je reconnais l'écriture de maman. Je m'empresse de lire le message.

À bientôt, ma petite Rose !
À mon retour,
je te raconterai tout.
Grosses bises
Maman

Martha retient ses larmes. Puis, elle me prend dans ses bras et me dit entre deux sanglots :

— Ma belle Rose, ta maman ne reviendra pas. Elle a eu un terrible accident. Les médecins n'ont pas pu la sauver.

Je suis inconsolable. Mon chagrin est grand comme le monde.

Mon bouquet de pissenlits est fané,
mais je ne veux pas le jeter. Il me
rappelle ma chère maman.

Un après-midi, Martha m'amène chez
le notaire de maman. Le notaire
m'annonce que ma mère souhaitait
que j'aille vivre avec tante Téodora si
jamais il lui arrivait malheur.

Tante Téodora habite dans une jolie maison à Mougins, dans le Sud de la France. Elle m'attend avec joie.

Je prépare bien soigneusement mes bagages et je n'oublie pas d'y glisser mon précieux bouquet de pissenlits tout séché. La France, c'est bien loin. Je me demande s'il y a des pissenlits dans le village où vit ma tante.

Chapitre 4

Une tante
pas comme les autres

Tante Téodora est la femme la plus excentrique que je connais. Elle chante du matin au soir. Elle fait des dessins humoristiques sur tous les murs de sa maison. Elle a dessiné une ballerine, juste pour moi, sur le mur de ma chambre.

Tante Téodora est une excellente cuisinière. Chaque dimanche, elle prend un réel plaisir à préparer sa fameuse soupe secrète.

Quand je m'ennuie de maman, je regarde mon bouquet de pissenlits séchés. Malheureusement, je n'ai pas vu un seul pissenlit à Mougins.

Pour mon huitième anniversaire, tante Téodora prépare un goûter délicieux et elle invite tous nos voisins, sans oublier Jules. C'est mon nouvel ami.

Jules a cueilli un gros bouquet de fleurs spécialement pour moi. Tante Téodora me fait cadeau d'une petite chienne adorable qui me suit partout. Je l'appelle Yoda.

Yoda aime gambader dans les bois. Elle me ramène souvent ses trouvailles. Un soir, pendant que je joue dehors avec Jules, Yoda revient avec quelque chose dans sa gueule.

À ma grande surprise, je m'aperçois que Yoda mâchouille des pissenlits. Ma chienne m'a rapporté mes fleurs préférées… sans le savoir.

De retour à la maison, je suis si excitée que tante Téodora a du mal à suivre mon histoire.

— Que dis-tu? Le pissenlit est ta fleur préférée? Ton bouquet tout rabougri est fait de pissenlits séchés? Mais, ma chérie, je cueille tous les jours des pissenlits pendant que tu es à l'école. Demain matin, si tu veux, je partagerai mon secret avec toi.

Cette nuit-là, je fais un merveilleux rêve: je danse avec maman et ma petite Yoda au milieu d'un immense champ de pissenlits.

Chapitre 5

Une soupe
pas comme les autres

Le lendemain matin, tante Téodora me réveille à l'aube. Elle me remet un panier et m'invite à la suivre à travers les bois. Après une longue marche, nous arrivons au bord d'une grande clairière couverte de fleurs jaunes.

Tante Téodora me dit :
— Nous devons cueillir beaucoup de pissenlits pour préparer la fameuse soupe que tu aimes tant.

C'est ainsi que j'ai découvert que mon cher pissenlit était à l'origine du secret de la délicieuse soupe de ma tante Téodora.

Tante Téodora me confie alors que sa grand-mère maternelle lui a légué, il y a bien longtemps, sa recette secrète de soupe aux pissenlits.

Tante Téodora insiste pour que j'écrive minutieusement sa recette. Puis, elle m'enseigne sa façon de la préparer. Je découvre alors que, tout comme ma tante, j'adore cuisiner. Après seulement quelques essais, je réussis à faire la meilleure soupe aux pissenlits du monde.

Ma tante m'apprend aussi que sa soupe a le pouvoir de rendre joyeux ceux qui en mangent. Maintenant, je comprends pourquoi elle me sert souvent sa soupe magique !

Une soupe qui rend les gens joyeux… Je me mets à rêvasser.

«Un jour, moi aussi, je cuisinerai pour faire sourire les gens. Peut-être même que j'aurai un bistro à moi…»

Je m'imagine en train de danser entre les bols et les casseroles, des pissenlits plein les bras.

Les années passent. Je viens d'avoir dix-neuf ans. Je termine mes études en art culinaire et je me porte plutôt bien. J'aimerais pouvoir en dire autant de tante Téodora.

Depuis quelque temps, elle ne vient plus avec moi cueillir des pissenlits. Elle ne chante plus et passe de longues heures à se reposer. Je suis très inquiète.

C'est l'automne. Le marché déborde d'odeurs et de saveurs exquises : menthe fraîche, romarin, lavande, melons, champignons… Je fais des courses avec tante Téodora et mon ami Jules.

Soudain, tante Téodora s'écroule. Heureusement que mon ami Jules est là. Il nous ramène dans sa voiture et il appelle le docteur Filloto.

Tante Téodora ne va pas bien. Je souhaite très fort qu'elle guérisse vite. Je lui prépare un bon bol de soupe magique et je m'assois près d'elle afin de la réconforter. Elle me murmure à l'oreille :

— Cette bonne soupe ne pourra pas me guérir. Je vais bientôt quitter ce monde. Il faudra que tu restes forte, mon petit pissenlit.

Je pleure toute la nuit. Ma brave Yoda essaie de me consoler en léchant mes larmes.

Chapitre 6
Une toile
pas comme les autres

Ma petite Rose,

N'oublie pas que,
derrière ton apparence fragile,
se cache la force du pissenlit.
On essaie souvent de détruire
cette fleur. Et pourtant,
elle repousse toujours.
Sois aussi tenace
que cette plante, ma chérie.

Tante Téo qui t'adore
XXX

Tante Téodora m'a laissé une lettre.

Quelques mois plus tard, Jules me fait une proposition.

— Je pourrais transformer la maison de ta tante en un charmant bistro. Est-ce que cela te ferait plaisir ? Tu pourrais cuisiner pour les villageois ta fameuse soupe aux pissenlits.

Un bistro à moi ? Mon rêve ! La proposition de Jules m'enchante. Et pourtant, j'hésite.

Sans attendre ma réponse, Jules m'entraîne jusqu'à sa voiture.

— Viens avec moi, j'ai quelque chose à te montrer.

Nous arrivons à Antibes. Jules est gardien au musée de la ville. Il me conduit à l'intérieur du musée. C'est alors que je fais la découverte du tableau de Salvador Dali intitulé *La danse du pissenlit*.

Je suis fascinée par la beauté et la grâce de cette œuvre. Je n'aurais jamais pensé pouvoir un jour admirer mon petit pissenlit sur une toile de grand peintre. Je suis très émue.

Chapitre 7
Un bistro
pas comme les autres

Au printemps de l'année suivante, j'ouvre enfin mon bistro, que j'ai appelé *Chez tante Téo*. Les clients se bousculent pour être les premiers à déguster la soupe de Rose Pissenlit. C'est le surnom qu'on m'a donné et j'en suis fière.

Après un ou deux bols de soupe, la plupart des clients de *Chez tante Téo* affichent un large sourire. Comme ce bon docteur Filloto, qui dîne régulièrement au bistro. Je le soupçonne d'ailleurs de venir tester les effets bénéfiques de ma soupe aux pissenlits.

Jules a remplacé son costume de gardien par un tablier de serveur. Dans la cuisine de mon bistro, je concocte des mets secrets. Mes nouvelles recettes ont beaucoup de succès.

Je me récompense en exécutant un petit mouvement de ballet, léger et aérien comme le pollen du pissenlit.

Table des matières

Associe chaque personne
au travail qu'elle fait.

A Martha

B Marguerite

C Jules

D Filloto

E Rose Pissenlit

1 gardien dans un musée

2 fleuriste

3 propriétaire d'un bistro

4 médecin

5 gardienne d'enfants

Le pissenlit est la fleur préférée de Rose.
Connais-tu le pissenlit?
Réponds aux questions suivantes.
Tu trouveras les réponses dans l'histoire.

1 De quelle couleur
esl le pissenlit?

2 Quel autre nom
donne-t-on au pissenlit?

3 À quels endroits
pousse le pissenlit?

4 Quel plat prépare-t-on
avec le pissenlit?

5 Dans quel tableau de Dali
peut-on voir des pissenlits?

Tout en fleurs !

Tout comme sa mère Marguerite,
Rose aime beaucoup les fleurs.

Peins un tableau
rempli de fleurs.

- Fais une recherche
  sur les fleurs.
  - Consulte des livres
    ou des revues d'art
    à la bibliothèque
    ou à la librairie.

  - Regarde dans Internet
    des sites consacrés
    aux fleurs.

- Peins ton tableau.
  Signe ton tableau
  et donne-lui un titre.

Choisis l'endroit où tu placeras
ton tableau.

Un menu original

Rose Pissenlit a ouvert un bistro.
Son menu présente un plat original :
la soupe aux pissenlits.

Prépare un menu original.

- Consulte des menus
  ou Internet.

- Choisis les aliments
  que tu vas inscrire à ton menu.
  Classe tes aliments par catégories.

  EXEMPLES

  les entrées, les plats principaux,
  les desserts

- Écris ton menu à la main
  ou à l'ordinateur.

- Ajoute des photos, des dessins
  ou des découpages de revues
  ou de cahiers publicitaires.

Présente ton menu à tes amis.

Rébus amusants

Écris sur une feuille
ou dans un cahier.

Trouve les réponses aux rébus.

EXEMPLE

100
cent

thé

réponse : santé

1

2

3

48